LES

DRAGOUILLES

LES ROUGES DE **BEIJING**

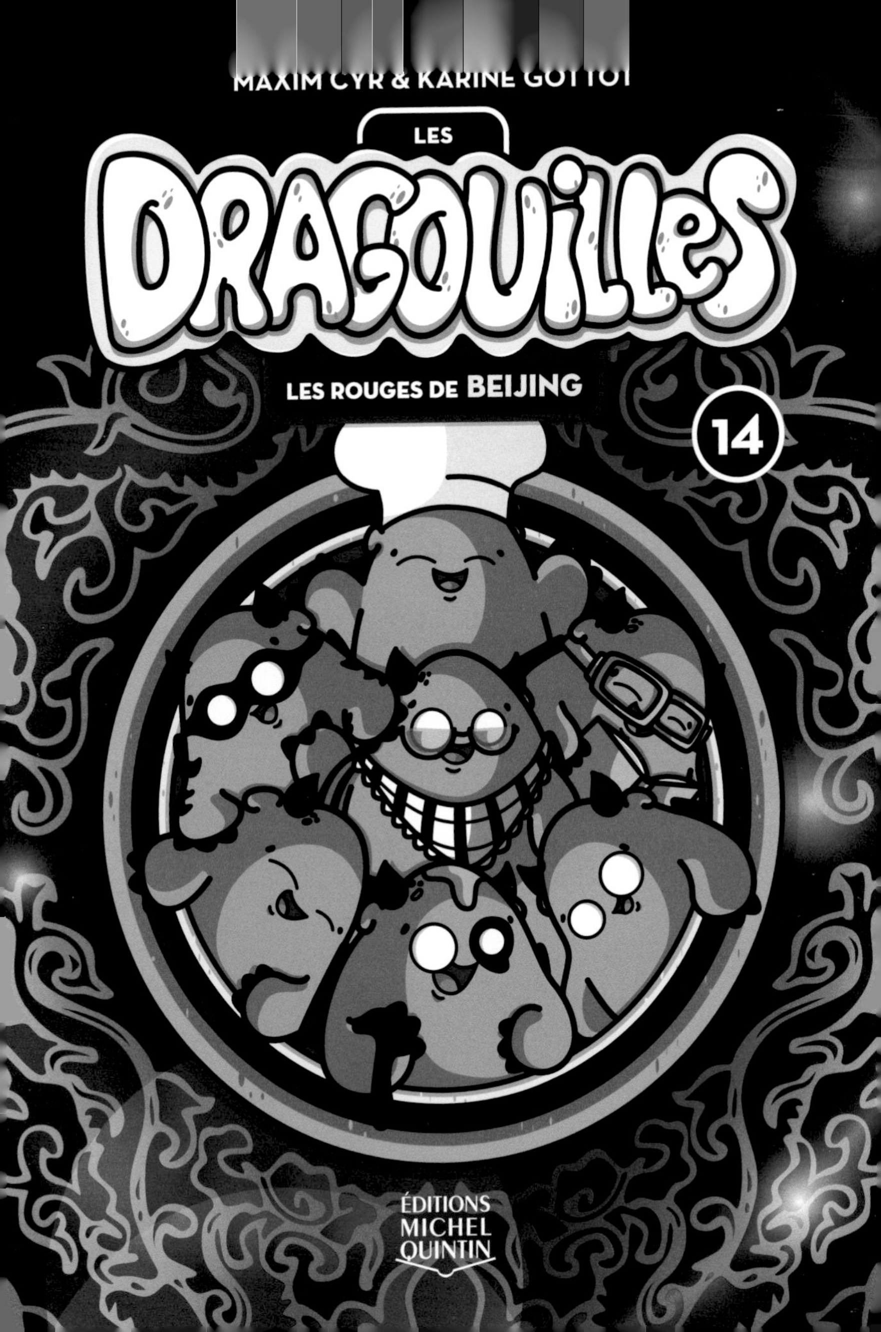

MAXIM CYR & KARINE GOTTOT
LES
DRAGOUILLES
LES ROUGES DE BEIJING
14
ÉDITIONS
MICHEL
QUINTIN

Mot des auteurs

Beijing bedang !

Vous voici à Beijing, la capitale de la République populaire de Chine. Une ville riche en histoire avec ses temples, ses magnifiques jardins impériaux et ses palais.

Vous pensiez que c'était Pékin, la capitale ? Vous n'avez pas tort. Pékin est le terme français pour désigner la ville, mais Beijing se rapproche davantage de la prononciation en mandarin (langue officielle de la Chine). Depuis les Jeux olympiques de 2008, le nom Beijing est de plus en plus utilisé. Il signifie la capitale du nord (*běi* = nord et *jīng* = capitale).

En Chine, le rouge symbolise le bonheur. Ça tombe bien ! Les dragouilles rouges de Beijing transpirent la joie de vivre. De vraies petites patates sautées !

Préparez-vous à voir la vie en rouge ! Pour vous, tout ça c'est du chinois ? Normal ! Tournez la page et vous comprendrez.

- Max et Karine -

AMÉRIQUES

On trouve des dragouilles partout dans le monde !
La couleur de leurs ailes et de leurs cornes change selon le continent où elles vivent.

EUROPE

ASIE

AFRIQUE

OCÉANIE

VOICI LES DRAGOUILLES QUE TU VAS RENCONTRER :

LES JUMEAUX

Les jumeaux se croient les pros des jeux de mots. Pourtant, ils sont souvent les seuls à se trouver rigolos !

L'artiste

C'est la plus créative de la bande. Elle dessine partout, même sur sa voisine !

LA BRANCHÉE

Voici la dragouille ultra-tendance. Tellement branchée qu'elle électrise tout sur son passage.

LA GEEK

Cette dragouille a hérité d'un petit extra de neurones entre les deux oreilles. À elle seule, elle fait remonter la moyenne du groupe !

LE CUISTOT

Cette dragouille à toque sait cuisiner bien plus que du canard laqué ! Pâté d'anchois à la sauce poubelle, ça te dit ?

LA REBELLE

La rebelle est la dragouille casse-cou et casse-tout. Elle ne craint rien ni personne. C'est une sacrée friponne !

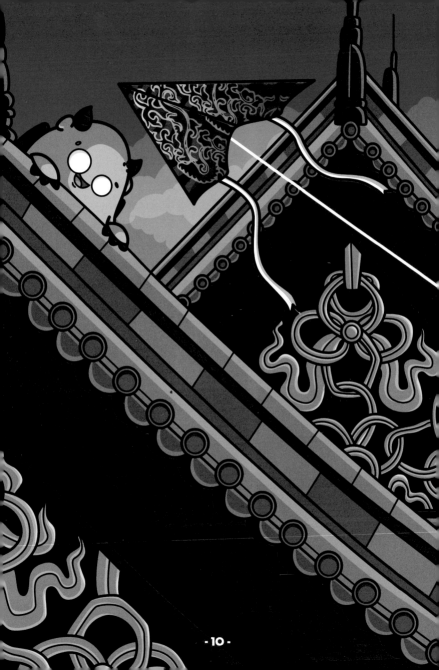

Les

Que ce soit des toits des habitations ancestrales des *hutong*, ces petites ruelles étroites des vieux quartiers, ou encore du haut des temples et des palais, les dragouilles rouges de Beijing trouvent toujours le moyen d'être dans le vent.

LES JUMEAUX

Bravo, les jumeaux !
Votre déguisement
est parfait.

Euh, ce n'est
pas nous...

Ah ?

Dans le bon ordre

EN CHINE,
LE NOM DE FAMILLE PRÉCÈDE LE PRÉNOM.

Tu viens de rencontrer un sympathique garçon qui se nomme Jiang Tao. Selon toi, quel est son prénom? Tu as raison! Il s'agit bien de Tao.

Dans la tradition chinoise, les prénoms ont une signification. Ils peuvent évoquer la nature, représenter des traits de caractère ou faire référence à des croyances.

PRÉNOMS DE FILLES

HUĀ : FLEUR

QIǍO : HABILE

ZHŪ : PERLE

PRÉNOMS DE GARÇONS

LÓNG : DRAGON

YǑNG : BRAVE

QIÁNG : FORT

Ce n'est pas la coutume en Chine d'appeler quelqu'un par son prénom, à moins d'être très proche de cette personne. On dit plutôt son nom au complet, soit le nom de famille suivi du prénom.

SALUT
mon nom est

SI, DANS UNE FOULE EN CHINE, TU CRIES «LI», LE NOM DE TON MEILLEUR AMI, TU RISQUES DE VOIR BEAUCOUP DE TÊTES SE RETOURNER EN MÊME TEMPS.

On a souvent l'impression que les Chinois portent tous le même nom de famille. Il en existe pourtant des milliers. Certains sont plus répandus que d'autres et, comme la population de la Chine est très nombreuse, plusieurs millions de personnes peuvent avoir le même nom. Par exemple, les noms de famille Li, Zhang et Wang sont portés par plus de 250 millions de Chinois.

Faites du bruit!

NE TE RENDS PAS À BEIJING UN 31 DÉCEMBRE POUR CÉLÉBRER LE PASSAGE À LA NOUVELLE ANNÉE, CAR TU RISQUES DE TE RETROUVER SEUL À FESTOYER.

Pour déterminer les dates des fêtes traditionnelles, les Chinois utilisent un calendrier lunisolaire, c'est-à-dire basé sur le cycle annuel du Soleil et sur le cycle régulier des phases de la Lune. Ce qui fait que la nouvelle année n'arrive jamais le même jour d'une année à l'autre, mais toujours pendant le mois de janvier ou février.

Le Nouvel An chinois, aussi appelé la fête du printemps, est considéré comme la période de célébrations la plus importante de l'année. Les festivités durent 15 jours et les Chinois disposent de plusieurs jours de congé pour bien en profiter.

Certaines traditions entourant cette fête tirent leur origine d'une légende qui raconte que la veille du jour de l'An, Nian, un monstre très cruel, descendait de la montagne pour se rendre dans un village et dévorer les hommes et les animaux qu'il trouvait sur son chemin. Heureusement, avec le temps, les villageois ont découvert que Nian avait peur de la couleur rouge et du bruit. Ils n'avaient alors qu'à agiter des objets de cette couleur en faisant du tapage pour le faire fuir. Cette histoire aurait d'ailleurs peut-être quelque chose à voir avec le fait que les Chinois ont adopté la couleur rouge comme symbole de la chance et du bonheur.

Aujourd'hui, cette couleur est omniprésente pendant la fête du Nouvel An. Lanternes, banderoles et guirlandes rouges ornent maisons et édifices. Il est aussi toujours de mise de faire du bruit afin de chasser les mauvais esprits issus de l'année qui se termine. Alors, dès que sonne minuit, danse du dragon, pétards, feux d'artifice et gongs sont autant de façons de fêter bruyamment.

Après le repas du Nouvel An, les enfants reçoivent une enveloppe rouge, *hóng bāo*, remplie d'argent. Ce geste, empreint de générosité, a pour but de leur porter chance durant toute la nouvelle année.

Évidemment, tu imagines bien que les dragouilles aiment particulièrement une de ces traditions.
Devine laquelle !

NUMÉROLOGIE

LES JEUX OLYMPIQUES DE BEIJING ONT COMMENCÉ LE 8 AOÛT 2008 À 8 H 08. EST-CE UN HASARD, D'APRÈS TOI ?

Bien sûr que non ! Ce n'est pas une coïncidence, c'est plutôt parce qu'en Chine plusieurs superstitions sont liées aux chiffres.

LE CHIFFRE 8, LA GRANDE VEDETTE

Comme sa prononciation en cantonais ressemble à celle du mot «fortune», le 8 est censé apporter prospérité et bonheur. Les Chinois sont même prêts à payer plus cher leur numéro de téléphone portable pour qu'il contienne des 8.

AH NON ! PAS LE 4 !

À l'inverse, le 4 est le plus mal aimé des chiffres parce que sa prononciation en mandarin s'apparente à celle du mot «mort». C'est le chiffre porte-malheur, un peu comme le 13 en Occident. Dans certains immeubles, le 4e étage est escamoté : on passe directement du 3e au 5e.

Les nombres qui comprennent le chiffre 4 ne sont guère plus appréciés. Euh, oups ! Tu lis en ce moment le tome 14 des dragouilles. Gare à toi !

COMPTER SUR LES DOIGTS

PEUX-TU FAIRE LE CHIFFRE 6 AVEC LES DOIGTS D'UNE SEULE MAIN ? IMPOSSIBLE POUR TOI, MAIS PAS POUR LES CHINOIS.

Eh oui, les Chinois peuvent compter jusqu'à 10 avec les doigts d'une seule main. C'est pratique, n'est-ce pas ?

Exerce-toi à compter à la chinoise :

| UN | DEUX | TROIS | QUATRE | CINQ |
| SIX | SEPT | HUIT | NEUF | DIX |

Alors, si un jour tu te promènes à Beijing et que l'envie te prend de commander deux délicieux beignets aux légumes, ne lève surtout pas le pouce et l'index, car tu en recevras huit !

* Les patates sont cuites.

LA VIE EN SOIE

La peinture sur soie chinoise est connue et appréciée dans le monde entier. Cet art est très ancien. Avant d'inventer le papier, vers l'an 100, les Chinois peignaient sur la soie des portraits, des paysages, des fleurs, etc. Des œuvres délicates et magnifiques.

Ce n'est pas ça que je voulais dire par « peinture sur soie ».

SAVOIR ÉCRIRE OU DESSINER ?

TU PRÉFÈRES LE DESSIN À L'ÉCRITURE ?
LE CHINOIS, C'EST POUR TOI !

L'écriture chinoise n'est pas constituée de lettres, mais plutôt de caractères appelés sinogrammes. Ceux-ci peuvent représenter une chose, un objet ou une idée. Un même caractère peut avoir plusieurs sens.

Voici un exemple de sinogramme :

 ARBRE, BOIS

Des sinogrammes peuvent aussi être formés en juxtaposant deux caractères. Le sens sera alors différent. Par exemple, pour écrire boisé, il faut aligner deux arbres.

 BOISÉ

Quand on trace un caractère chinois, il est important de respecter l'ordre et le sens des traits.

Pour lire sans trop de difficulté le chinois, il faut apprendre entre 2 000 et 3 000 caractères.

On est loin des 26 lettres de l'alphabet, n'est-ce pas ?

QUAND L'ÉCRITURE DEVIENT UN ART

La calligraphie, l'art de l'écriture, existe en Chine depuis plusieurs millénaires. Il s'agit d'une forme d'art à part entière, tout comme la peinture, la poésie ou la danse. Le calligraphe a besoin de quatre outils que l'on appelle les quatre trésors du cabinet du lettré. Il s'agit du pinceau, du papier de riz, des bâtonnets d'encre et de la pierre à encre.

L'artiste s'est amusée à écrire le mot « dragouille » en chinois.

土豆 + 龙 = 土豆龙

PATATE + DRAGON = DRAGOUILLE

Éclairez ma lanterne!

Objets volants

non identifiés

SI TU AS DÉJÀ VU DES OBJETS (NON IDENTIFIÉS) ILLUMINER LE CIEL DE BEIJING, TU AS DÛ TE DEMANDER CE QUE CELA POUVAIT BIEN ÊTRE. ALORS, FAISONS ENSEMBLE LA LUMIÈRE SUR LA QUESTION.

Tu t'es probablement trouvé à Beijing le jour de la fête des lanternes. Celle-ci a lieu le 15e jour du premier mois lunaire, c'est-à-dire à la première pleine lune de la nouvelle année. Cette célébration nocturne met fin aux festivités du Nouvel An chinois. À cette occasion, des lanternes de toutes les formes, les tailles et les couleurs sont suspendues le long des rues, des boulevards et des parcs.

Joins-toi à la fête et crée de minilanternes d'inspiration

Bricolage

POUR FABRIQUER UNE LANTERNE

IL TE FAUT:
- Un rouleau de papier hygiénique vide
- Une paire de ciseaux
- De la peinture (une ou des couleurs de ton choix)
- Du fil de fer ou de la ficelle

1 Peins l'extérieur du rouleau. Tu peux aussi décider d'appliquer une autre couleur à l'intérieur. Ensuite, trace des lignes verticales parallèles, espacées d'environ 1 cm, tout autour du rouleau. Prends soin de laisser une bande de 2 cm en haut et en bas. Découpe les lignes.

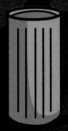

2 Compresse ton rouleau en poussant sur les extrémités jusqu'à ce qu'il prenne la forme d'une lanterne.

3 Laisse maintenant aller ta créativité et peins de jolis motifs chinois sur ta lanterne. Ensuite, perce un petit trou de chaque côté d'une des extrémités. Passes-y un bout de fil de fer ou de ficelle afin de pouvoir la suspendre à l'endroit de ton choix.

LA BRANCHÉE

FINI LE FOUILLIS

TA CHAMBRE RESSEMBLE-T-ELLE À UN VÉRITABLE CHAMP DE BATAILLE ? EST-IL PRESQUE IMPOSSIBLE DE TROUVER TON LIT DANS TOUT CE FOUILLIS ? TES VÊTEMENTS SALES QUI JONCHENT LE SOL FORMENT-ILS UN TAPIS PUANT ? SACHE ALORS, PETIT DÉSORDONNÉ, QUE TON NID N'EST PAS FENG SHUI.

Feng quoi ? Feng shui. Ces mots chinois signifient « vent » et « eau ». Il s'agit d'un art de vivre millénaire qui permet à l'homme d'évoluer en harmonie avec son environnement.

Le principe de base du feng shui est de créer un équilibre entre les deux forces opposées, mais complémentaires, du yin et du yang. Ceci permettrait à l'énergie que les Chinois appellent le chi de bien circuler dans son milieu de vie.

Le yin est associé à la lune et symbolise la féminité.
Le yang est associé au soleil et symbolise la masculinité.

Pour aménager un lieu de façon harmonieuse, les maîtres feng shui tiennent aussi compte de plusieurs autres éléments comme les points cardinaux.

Les architectes qui ont conçu la Cité interdite de Beijing ou la Grande Muraille de Chine ont appliqué les principes du feng shui pour que ces constructions s'intègrent de façon harmonieuse à la nature.

« FENG SHUIZE »
TA CHAMBRE

Le feng shui est un art complexe, mais voici quelques règles que tu peux adapter à l'aménagement de ta chambre :

- Évite le désordre.
- Choisis des affiches qui présentent des images positives.
- Élimine le plus possible les fils électriques.
- Appuie la tête de ton lit contre un mur.
- Évite de peindre les murs avec des couleurs vives comme le rouge, l'orange et le jaune. Choisis plutôt des couleurs froides telles que le vert et le bleu.

TON CAMARADE DE CLASSE DORT PAISIBLEMENT, LA TÊTE APPUYÉE SUR SON PUPITRE? NE LE RÉVEILLE SURTOUT PAS POUR LE TRAITER DE PARESSEUX!

En Chine, dans certains milieux de travail, piquer un petit roupillon ne fait pas fâcher son patron.

En fait, un repos de quelques minutes permettrait par la suite aux employés d'être plus productifs et efficaces dans leur travail.

Nous sommes complètement d'accord avec ce principe.
Alors, tu ne nous en voudras pas... Âââââh... si on termine cette chronique un peu plus tard.

Zzzzz... Rrrrr... Rrrrr

Branchies thérapie

AS-TU LES TALONS RUGUEUX COMME DES RÂPES À FROMAGE ? SI OUI, IL EST PEUT-ÊTRE TEMPS POUR TOI DE FAIRE PEAU NEUVE. FAIS APPEL AUX POISSONS-DOCTEURS POUR SOIGNER TES PETITS PIEDS.

Oui oui, tu as bien lu. Ces petits experts de la pédicure possèdent, en effet, des nageoires et vivent sous l'eau. Prêt ?

Tu devras d'abord plonger tes pieds dans un bassin rempli de *Garra rufa*, des poissons originaires du Moyen-Orient. Ensuite, ces petites carpes aussi appelées poissons-docteurs se feront une joie de te débarrasser de toutes tes peaux mortes.

Ne t'inquiète pas, ces poissons n'ont pas de dents. Ils se colleront à ton épiderme et se nourriront de tes peaux mortes en faisant des minisuccions. Tu verras, ça chatouille !

Ce concept est très populaire à Beijing. Si tu te rends au spa Jiuha, dans le nord de la ville, tu pourras immerger tout ton corps dans un des grands bassins et te faire exfolier de la tête aux pieds par ces gentils vertébrés.

Une étonnante expérience qui, crois-le ou non, ne se terminera pas en queue de poisson.

Devinettes

1) QUEL EST LE COMBLE DU MALHEUR POUR UN DRAGON ?

2) QUEL EST LE COMBLE DU BONHEUR POUR UN DRAGON ?

3) QUEL EST LE COMBLE DE L'INCONFORT POUR UN DRAGON ?

4) QUEL VÊTEMENT OBTIENT-ON EN ÉTIRANT UN PANDA ?

5) QU'EST-CE QUI EST NOIR ET BLANC ET FAIT « MEUH » ?

6) QUEL EST LE PAYS LE PLUS ÉLOIGNÉ DE LA CHINE ?

7) COMMENT APPELLE-T-ON UNE RANGÉE DE GRAINS DE RIZ ?

8) QUE DIT UN GRAIN DE RIZ À UN CLOWN ?

1) AVOIR L'EAU À LA BOUCHE 2) DÉCLARER SA FLAMME À L'ÊTRE AIMÉ
3) AVOIR DES BRÛLURES D'ESTOMAC 4) UN PANDALONG (PANTALON)
5) UN PANDA QUI SE PREND POUR UNE VACHE 6) LA CHINE, CAR ON DOIT
FAIRE TOUT LE TOUR DE LA TERRE POUR Y ARRIVER 7) UNE RIZ
BAMBELLE (RIBAMBELLE) 8) JE N'AI JAMAIS TANT RIZ (RI) !

UN PROJET « MUROBOLANT » !

QU'EST-CE QUI ONDULE, ZIGZAGUE, MONTE, DESCEND ET SE DÉPLOIE SUR DES MILLIERS DE KILOMÈTRES ? EH NON ! IL N'EST PAS ICI QUESTION D'UN DRAGON GÉANT, MAIS PLUTÔT DE LA PLUS LONGUE CONSTRUCTION HUMAINE DU MONDE.

As-tu trouvé ? Bien joué ! Il s'agit évidemment de la Grande Muraille de Chine. Ne va surtout pas croire que cet extraordinaire ouvrage a été construit en une seule fois. Il a plutôt été réalisé en plusieurs étapes et à différentes époques.

En 220 av. J.-C., Qin Shi Huangdi, le premier empereur de Chine, a décidé de relier entre eux des remparts déjà existants afin de former une seule longue muraille. Celle-ci devait servir de fortification contre les peuples ennemis venus du nord.

La construction s'est poursuivie sous d'autres dynasties, et ce, même si la Grande Muraille s'avérait être un moyen de défense peu efficace. En effet, les envahisseurs parvenaient à la franchir sans grande difficulté.

LA GRANDE MURAILLE DE CHINE...

Mesure pas moins de 8 850 km. Si on tient compte des parties détruites, sa longueur totale est d'environ 20 000 km.

- -

Mesure en moyenne de 6 à 7 m de hauteur et de 4 à 5 m de largeur.

- -

Est construite le long de la crête de montagnes abruptes.

- -

Possède des tours de guet et des fortifications sur toute sa longueur.

- -

A d'abord été construite avec de la terre battue, des pierres, du bois et des tuiles. Par la suite, des briques scellées avec du mortier fait à base de farine de riz ont été utilisées.

- -

Est parfois surnommée « le plus grand cimetière du monde », car des millions d'ouvriers sont morts de faim ou d'épuisement sur le chantier et ont été enterrés à proximité du mur.

- -

Fait partie des sept nouvelles merveilles du monde moderne.

- -

Est l'hôte d'un marathon qui a lieu tous les ans et qui attire des participants du monde entier.

LONGUE, OUI MAIS...

On entend souvent dire que la Grande Muraille de Chine est visible à l'œil nu depuis la Lune. C'est tout à fait faux. La muraille est longue, mais elle est aussi très mince. L'apercevoir depuis la Lune est aussi improbable que de voir un cheveu à plus de 1 km.

MARCHER DE LONG EN LARGE

En partant de Beijing, il te faudra environ une heure en autobus pour te rendre à l'un des points d'accès à la Grande Muraille de Chine. N'oublie pas que celle-ci se trouve dans les montagnes. Tu pourras alors décider d'y accéder à pied ou en télésiège. Une fois arrivé, prends le temps d'admirer ce chef-d'œuvre d'ingéniosité.

Redescends de la même façon que tu es monté ou, encore plus amusant, emprunte le toboggan.

Yaaaaaaaaahouuu !

Interdite, vraiment?

PRÉPARE-TOI À DÉCOUVRIR
UNE VÉRITABLE VILLE DANS LA VILLE.

La Cité interdite a été la résidence des familles impériales chinoises pendant cinq siècles. En tout, 24 empereurs y ont successivement habité.

Cet ensemble architectural couvre une superficie de 72 hectares. Tu ne seras pas surpris d'apprendre qu'il te faudra au moins une journée entière pour visiter ses différents palais et jardins.

Mais pourquoi cette cité est-elle qualifiée d'interdite si tu peux t'y balader librement? C'est qu'à l'époque impériale, le peuple n'y avait pas accès. Ce lieu était réservé à l'empereur et à sa famille ainsi qu'à ceux qui étaient à leur service.

TOUT EN HARMONIE

La Cité interdite est divisée en deux parties : la cour extérieure était l'endroit où le souverain exerçait son pouvoir et la cour intérieure était réservée à la famille impériale.

La construction a été réalisée selon les techniques d'architecture traditionnelle chinoise. Le moindre détail a une signification. Tu pourras remarquer l'omniprésence du chiffre 9 ou de l'un de ses multiples dans les palais et les jardins. Par exemple, 9 rangées de 9 clous sur les portes, 9 créatures fantastiques sur les toits qui chassent les mauvais esprits, 9 dragons sur les murs, etc. Le 9 est le plus grand chiffre impair. Il est donc considéré comme le plus puissant.

La légende raconte que la cité comprenait 9 999 pièces. En fait, il n'en resterait que 8 000.

L'édification de la Cité interdite respecte les lois du feng shui ainsi que le principe du yin et du yang. Elle est orientée selon un axe principal nord-sud afin que ces deux forces soient équilibrées. Pour être en accord avec le feng shui, il devait aussi y avoir de l'eau au sud et une montagne au nord du terrain choisi. Ce qui n'était pas le cas. Qu'à cela ne tienne, les maîtres d'œuvre ont créé une rivière aux Eaux d'or au sud et ont élevé la colline du Charbon au nord.

Il n'y a rien de trop beau pour l'empereur !

charade

MON PREMIER EST L'OPPOSÉ DE DEVANT

MON DEUXIÈME EST UNE NOTE DE MUSIQUE

MON TROISIÈME EST UN ADJECTIF POSSESSIF
À LA 1RE PERSONNE DU PLURIEL

MON TOUT EST UN JEU DE SOCIÉTÉ D'ORIGINE CHINOISE

SURVOL

Une dragouille vient de survoler cette étrange forme.

DEVINE DE QUOI IL S'AGIT.

LE défi DE LA GEEK

Peux-tu faire voler une balle de ping-pong... euh, de tennis de table, devrais-je dire?

Pour relever le défi, il te faut :

— une balle de tennis de table

— un sèche-cheveux.

EH NON ! LE TENNIS DE TABLE N'A PAS ÉTÉ INVENTÉ PAR LES CHINOIS, MAIS BIEN PAR LES ANGLAIS, AU XIXᵉ SIÈCLE.

C'est une erreur que font beaucoup de gens, car ce sport est très populaire en Chine et que ce pays a vu naître de très grands champions. Il faut dire, aussi, que le mot « ping-pong » a une vague consonance chinoise. Pourtant, c'est une compagnie américaine qui a commercialisé ce jeu en lui donnant le nom de ping-pong. Il s'agit donc d'une marque de commerce, tout comme Coca-Cola, Frigidaire ou Kleenex.

COMMENT FAIRE ?

1. Branche le sèche-cheveux dans une prise électrique et place l'ouverture de l'appareil vers le haut.

2. Allume le sèche-cheveux et lance la balle de tennis de table dans le courant d'air chaud qui en sort.

   Et voilà ! Elle vole !

La loi de Bernoulli stipule qu'il y a dans un courant d'air chaud une pression inférieure à celle de l'air froid extérieur. Alors, dès que la balle veut partir vers le haut, le courant

PAS CHINOIS À COMPRENDRE !

Tu as sans doute déjà mangé un biscuit chinois dans lequel se cache un message. Tu seras surpris d'apprendre que bien qu'il soit servi dans la plupart des restaurants chinois en Occident, ce biscuit ne provient pas de la Chine. En tout cas, pas directement. Sa véritable origine demeure ambiguë. Certains croient que ce sont des immigrants japonais installés aux États-Unis qui ont inventé le biscuit alors que d'autres pensent que ce sont plutôt de nouveaux arrivants chinois. Une chose est certaine, ce n'est pas à Beijing que tu pourras déguster ces petites douceurs.

Doigts de bois

LES CHINOIS SONT SI HABILES POUR MANGER AVEC DES BAGUETTES QU'ON DIRAIT QUE CELLES-CI SONT LE PROLONGEMENT DE LEURS DOIGTS.

Cette habileté vient sans doute du fait que les Chinois mangent avec des baguettes depuis plus de 3 000 ans.

L'utilisation des baguettes serait apparue au moment où l'homme a commencé à préparer sa nourriture. Les premières baguettes ont sans doute été de simples branches de bambou dont les Chinois se servaient pour saisir des aliments sans se salir ou se brûler les mains.

Dès l'Antiquité, les Chinois coupaient les aliments en petits morceaux ou en lamelles avant de les faire cuire. Cette façon de découper la nourriture aurait-elle été adoptée pour faciliter la prise des aliments avec des baguettes, ou est-ce l'utilisation des baguettes qui aurait engendré cette technique ?

Hum, ça ressemble à l'histoire de l'œuf et de la poule. Qu'est-ce qui est venu en premier ?

Une étude scientifique a démontré que manger avec des baguettes met en action plus de 30 articulations et de 50 muscles du bras, du poignet et de la main. Comme ces mouvements activent différentes zones du cerveau, certains s'amusent à dire que s'alimenter avec des baguettes rend plus intelligent.

LA LEÇON

EN CHINE, LES ENFANTS COMMENCENT TRÈS TÔT L'APPRENTISSAGE DU MANIEMENT DES BAGUETTES. ET TOI, AS-TU DÉJÀ ESSAYÉ ?

VOICI COMMENT T'Y PRENDRE :

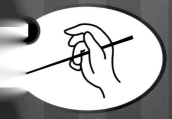

Pose la première baguette dans le creux qui se trouve entre le pouce et l'index.

Tiens la deuxième baguette entre le pouce et l'index, au-dessus de la première.

Ajuste les deux baguettes pour qu'elles soient parallèles. Tente de saisir un aliment comme si tu avais une pince entre les mains. Attention, ce n'est que la baguette supérieure qui doit bouger. Celle du bas doit rester fixe.

À vos baguettes. Partez !

LES bonnes
manières

CE N'EST PAS TOUT DE SAVOIR TENIR LES BAGUETTES, ENCORE FAUT-IL SAVOIR SE TENIR À TABLE. VOICI QUELQUES RÈGLES DE BIENSÉANCE À LA CHINOISE.

1 Ne trie pas les aliments avec les baguettes.

2 Ne pique pas les aliments avec les baguettes comme avec une fourchette.

3 Ne plante pas les baguettes à la verticale dans ton bol de riz, car cela rappelle les bâtons d'encens utilisés lors des cérémonies funéraires.

4 Ne croise pas les baguettes, car c'est un mauvais présage. Dépose-les plutôt côte à côte sur ton bol.

5 Ne joue pas du tambour avec les baguettes.

Pour une fois, ne te gêne pas pour faire du bruit en mangeant. Cela montre à ton hôte que tu apprécies le repas.

CROUNCHE CROUNCHE CROUNCHE

Apportez vos baguettes!

CHAQUE ANNÉE, LA CHINE PRODUIT 80 MILLIARDS DE PAIRES DE BAGUETTES JETABLES. CECI ÉQUIVAUT À COUPER 20 MILLIONS D'ARBRES. DE QUOI RECOUVRIR 360 FOIS LA PLACE TIANANMEN.

Tu te doutes qu'il faudra bien plus qu'un coup de baguette magique pour faire cesser ce gaspillage. Heureusement, quelques mesures sont prises pour inciter les Chinois à changer leurs habitudes.

Par exemple, le gouvernement chinois a instauré une taxe de 5 % sur les baguettes jetables pour dissuader les gens de les utiliser. Aussi, dans certaines compagnies, les employés sont obligés d'apporter leurs propres baguettes à la cafétéria. Pour leur part, plusieurs restaurants de Beijing n'offrent que des baguettes recyclables à leurs clients.

Des mouvements comme Bring Your Own Chopsticks («Apportez vos baguettes») ont vu le jour et tentent de sensibiliser la population à cet effort écologique. On encourage les Chinois à utiliser des baguettes recyclables en leur offrant des rabais sur la nourriture.

Une mesure qui plaît particulièrement au cuistot.

AUX FOURNEAUX!

UN METS INCONTOURNABLE

Lorsque tu seras à Beijing, il faudrait absolument que tu goûtes au canard laqué. C'est une spécialité culinaire ancestrale de la région. L'effet laqué (luisant) et coloré de ce mets est obtenu en badigeonnant le canard d'une succulente marinade avant de le faire rôtir.

HISTOIRE DE NOUILLES

Le cuistot te propose de préparer un bol de nouilles chinoises au poulet. Les nouilles font partie de l'alimentation des Chinois depuis des millénaires. Tu en veux la preuve? Les nouilles les plus anciennes du monde ont été découvertes au nord-ouest de la Chine, sur les rives du fleuve Jaune. Ces nouilles à base de millet, vieilles de 4 000 ans, se trouvaient dans un bol de céramique retourné, sous plusieurs couches de sédiments. C'est ainsi qu'elles ont pu se conserver aussi longtemps.

Nouilles alors! *(pour 4 convives)*

- 400 g (14 oz) de nouilles chinoises
- 300 g (11 oz) de blanc de poulet coupé en cubes de 1 cm
- 30 pois mange-tout coupés en morceaux d'environ 2 cm
- 1 poivron moyen coupé en fines lanières
- 1 gousse d'ail hachée
- 2 carottes coupées en fines rondelles
- 1 oignon émincé
- 30 ml (2 c. à soupe) d'huile végétale
- 30 ml (2 c. à soupe) de sauce soja

1. Fais cuire les nouilles selon les instructions qui se trouvent sur le paquet. Égoutte-les et mets-les de côté pour plus tard.

2. Verse l'huile dans un grand poêlon ou dans un wok et fais-y revenir le poulet. Quand il est bien cuit (environ 5 minutes), mets-le de côté.

3. Dans le même poêlon, fais revenir l'oignon et l'ail. Ajoute ensuite les autres légumes et poursuis la cuisson environ 5 minutes.

4. Ajoute ton poulet cuit à ces ingrédients ainsi que la sauce soja. Mélange bien tous les ingrédients et dépose-les dans un autre plat.

5. Passe les nouilles sous l'eau chaude et fais-les sauter dans le poêlon ou le wok pendant 2 minutes. Mets les légumes et la viande sur les nouilles et mélange le tout. Répartis tes nouilles au poulet dans quatre bols.

LA REBELLE

Nous, on pratique le kung-fu, mais la rebelle pratique le kung-**fou** !

CIEL QUE

C'EST BEAU !

À BEIJING SI TU LÈVES LES YEUX VERS LE CIEL, IL N'Y A PAS QUE LES DRAGOUILLES QUE TU RISQUES D'APERCEVOIR, MAIS AUSSI BEAUCOUP DE CERFS-VOLANTS QUI VIREVOLTENT AU GRÉ DU VENT.

Le cerf-volant est une invention chinoise. On ne connaît pas la date exacte de sa création, mais on sait que les Chinois en faisaient déjà voler dans l'Antiquité.

Une légende raconte qu'un charpentier du nom de Lu Ban aurait construit un oiseau avec des tiges de bambou et qu'il se serait mis à voler. C'est ainsi que le premier cerf-volant aurait vu le jour.

À l'époque, les cerfs-volants étaient utilisés pour transmettre des messages lors de missions de sauvetage. Ils servaient aussi à mesurer les distances et à tester le vent. Les militaires les employaient également comme outil de signalisation.

C'est planant!

Aujourd'hui, le cerf-volant est devenu un loisir. Les petits comme les grands aiment pratiquer cette activité dans les parcs ou à l'occasion d'événements tenus sur la place Tiananmen.

Ils sont généralement faits de bambou et de soie et peuvent prendre la forme d'une hirondelle, d'un dragon, d'un crabe ou de toute autre représentation mythologique. On dit qu'il n'existe nulle part ailleurs une variété aussi grande de cerfs-volants.

À Beijing, à la tombée de la nuit, il est même possible d'apercevoir des cerfs-volants lumineux. C'est magnifique! Des étudiants américains en ont aussi mis au point qui détectent le seuil de pollution de cette ville et changent de couleur selon la concentration de certaines substances présentes dans l'air.

C'est ce qui s'appelle joindre l'utile à l'agréable!

Histoire d'un jouet

T'ES-TU DÉJÀ AMUSÉ, DANS TA BAIGNOIRE, AVEC UN PETIT CANARD JAUNE EN CAOUTCHOUC ? ALLEZ, NE SOIS PAS GÊNÉ DE RÉPONDRE CAR, TU SAIS, NOUS SOMMES NOMBREUX À AVOIR FAIT « COIN-COIN » DANS NOTRE BAIN.

Dans son enfance, l'artiste néerlandais Florentijn Hofman a sans doute eu beaucoup de plaisir avec ce gentil palmipède, mais cela ne lui a pas suffi, semble-t-il. Maintenant qu'il est devenu adulte, Hofman prend plaisir à créer des répliques géantes du populaire canard jaune. L'artiste veut ainsi faire sourire les gens et leur rappeler d'être heureux.

Comme plusieurs autres villes dans le monde, Beijing a accueilli pendant quelque temps un canard géant composé de plus de 200 pièces de caoutchouc et qui mesurait 18 m de haut. À l'automne 2013, les touristes et les habitants de la capitale chinoise ont pu aller le voir barboter au Palais d'été, sur le lac Kunming.

Même si ce gigantesque canard n'est plus à Beijing, il existe toujours des traces de son passage. Tu peux encore facilement trouver une figurine ou un porte-clés à son effigie dans les magasins de souvenirs.

COIN-COIN VA LOIN

Le 10 janvier 1992, un bateau parti de Chine a fait naufrage dans l'océan Pacifique et a perdu une partie de sa cargaison. C'est ainsi que 7 200 petits canards jaunes et 21 600 autres petits animaux en plastique, comme des tortues, se sont retrouvés à l'eau.

Ce fut le début d'une longue épopée pour cette joyeuse ménagerie. Ces milliers de jouets ont été dispersés par les différents courants marins et ont dérivé jusqu'à atteindre les côtes de plusieurs pays très éloignés du lieu du naufrage.

Certains petits canards jaunes auraient atteint la ville de New York près de 10 ans après le naufrage. D'autres auraient échoué ailleurs comme en Écosse, en Alaska, au Chili et à Hawaï.

Cette histoire est captivante, mais elle doit nous rappeler que les objets de plastique qui égaient notre quotidien peuvent être nocifs pour l'environnement. Une fois dans la nature, ils ne se décomposent pas, mais se désagrègent en petits morceaux qui finissent souvent dans l'estomac de nos

AU revoir

Merrcbloupci pourploush cebrrr péri-psppashple en ta compasplouchgnie.

Si vous n'avez rien compris de ce qu'a dit ce jumeau, c'est normal. Il a oublié d'enlever son tuba. Il voulait simplement vous remercier pour ce beau périple en votre compagnie et vous inviter à poursuivre votre voyage vers une nouvelle destination.

En attendant, n'oubliez pas de lever les yeux vers le ciel de temps en temps. On ne sait jamais qui pourrait être en train de vous observer.

GLOSSAIRE

Acuponcture : médecine traditionnelle chinoise qui consiste à piquer des parties du corps avec de fines aiguilles.

Archaïque : ancien, dépassé.

Cantonais : langue parlée dans le sud de la Chine.

Occident : les pays d'Europe de l'Ouest et d'Amérique du Nord.

Zhù nǐ shēng rì kuài lè : « bon anniversaire à toi », en mandarin.

LES CRITIQUES SONT UNANIMES...

« ÉQUILIBRÉ, FLUIDE, ÉNERGISANT »
- CHÉNHAO, MAÎTRE FENG SHUI

**« MEILLEUR QU'UN SAUTÉ
AUX LÉGUMES ! »**
- ANNE, CRITIQUE GASTROMIQUE

**« UNE ENVOLÉE DE SUJETS
TRÈS INTÉRESSANTS »**
- CHÉNYÀNG, ADEPTE DU CERF-VOLANT

**« JE PRÉDIS UN GRAND SUCCÈS
À CE LIVRE »**
- GUILLAUME, APPRENTI CONFUCIUS

« GRANDIOSE, MAJESTUEUX ! »
- MAODANN, UN PETIT EMPEREUR

VIENS NOUS VOIR en ligne!

BLOGUE, JEUX, IMAGES À COLORIER, FONDS D'ÉCRAN, AVATARS, ETC.

LESDRAGOUILLES.COM

LES ORIGINES

MONTRÉAL

PARIS

TOKYO

DAKAR

SYDNEY

NEW YORK

BARCELONE

NEW DELHI

TUNIS

AUCKLAND

RIO DE JANEIRO

REYKJAVIK

BEIJING

Catalogage avant publication de Bibliothèque et Archives nationales du Québec et Bibliothèque et Archives Canada

Cyr, Maxim

Les dragouilles

Sommaire : 14. Les rouges de Beijing.
Pour enfants de 7 ans et plus.

ISBN 978-2-89435-760-6 (v. 14)

I. Gottot, Karine. II. Titre. III. Titre : Les rouges de Beijing.

PS8605.Y72D72 2010   jC843'.6   C2009-942530-0
PS9605.Y72D72 2010

La publication de cet ouvrage a été réalisée grâce au soutien financier du Conseil des Arts du Canada et de la SODEC. De plus, les Éditions Michel Quintin reconnaissent l'aide financière du gouvernement du Canada par l'entremise du Fonds du livre du Canada pour leurs activités d'édition.

Gouvernement du Québec – Programme de crédit d'impôt pour l'édition de livres – Gestion SODEC

ISBN 978-2-89435-760-6

Dépôt légal – Bibliothèque et Archives nationales du Québec, 2015
Dépôt légal – Bibliothèque et Archives Canada, 2015

Éditions Michel Quintin
4770, rue Foster, Waterloo (Québec)
Canada J0E 2N0
Tél.: 450 539-3774
Téléc.: 450 539-4905
editionsmichelquintin.ca

1 5 - W K T - 1

Imprimé en Chine